Spring, meneer Luis!

Bavo Dhooge
Tekeningen van Jeska Verstegen

Zwijsen

LEESN!VEAU

		ME	ME	ME	ME	ME		
AVI	S	3	4	5	6	7	P	
CLIB	S	3	4	5	6	7	8	P

humor; dieren

Toegekend door Cito i.s.m. KPC Groep

De Nederlandse Kinderjury 2010

1e druk 2009
ISBN 978.90.487. 0189.6
NUR 282

© 2009 Tekst: Bavo Dhooge
© 2009 Illustraties: Jeska Verstegen
Vormgeving: Rob Galema
Uitgeverij Zwijsen B.V., Tilburg

Voor België:
Uitgeverij Zwijsen.be, Antwerpen
D/2009/1919/116

Inhoud

1. Waar is iedereen?

Het is avond. En het is zomer.
Meneer Luis loopt door het bos. Het is bijna
donker. Hij heeft hard gewerkt. De hele dag
was hij in de weer. Nu is hij moe. Hij kan zelfs
niet meer springen. Hij sleept zich naar de rand
van het bos. Meneer Luis wil naar huis.

Meneer Luis neemt altijd dezelfde weg naar
huis. Hij komt dan vaak een andere luis tegen.
Of een mug of een spinnetje. Maar nu is er
niemand in de buurt. Waar is iedereen? Dat is
vreemd!
Misschien zijn ze al op vakantie, denkt meneer
Luis.
Of zijn ze een dagje naar het strand?
Meneer Luis kijkt rond. Niemand zegt hem
dag. Niemand zwaait naar hem. Hij voelt zich
heel alleen.

Even later komt hij op een open plek in het bos.
'Eindelijk!

Oost west, thuis best,' zegt meneer Luis hardop.
Hij zet zijn rugzak op de grond en rust even
uit. Maar ook hier is het heel stil. Waar is zijn
buurman Louis de luis? Die is ook al nergens te
bespeuren.
'Hallo?' roept meneer Luis.
Niets. Geen antwoord.
'Waar is iedereen?' roept meneer Luis nog een
keer.
Meneer Luis snapt er niets van. Als hij thuis-
komt, is er altijd wel iets te beleven. Een paar
kleine luisjes springen voor zijn deur heen en
weer. Of ze leren verspringen. Maar nu niet. Nu
is er niemand te zien.
'Wat is hier toch aan de hand?' vraagt meneer
Luis zich af.

Hij pakt zijn rugzak op en kijkt omhoog naar
zijn huisje. Omhoog?
Ja, meneer Luis woont in het bos. Maar het is
geen bos met bomen. Het is een bos vol haar.
Een haarbos. Meneer Luis woont namelijk op
het hoofd van een kleine jongen die Hans heet.
Meneer Luis woont daar in een hut. Een boom-
hut. Of beter: een haarhut. Hij heeft de haarhut
zelf gebouwd.

Hij klimt langs een haartje naar boven. Hij komt zijn haarhut binnen en kijkt door het raampje. Zo ziet hij het landschap voor zich. Een bruine vlakte. Het lijkt wel een korenveld. 'Waar is iederééééén!' roept meneer Luis nog een laatste keer.
Hij steekt zijn hoofd door het raam. Maar hij ziet niemand. Hij is helemaal alleen op deze aardbol. Of beter: haarbol. Nu wordt hij toch een beetje bang. In dit haarbos wonen honderden luizen. Maar vandaag blijft het angstig stil. 'Ach, morgen is er weer een nieuwe dag,' zegt meneer Luis.
Hij sluit het raampje en is zo moe dat hij onmiddellijk in zijn bed in slaap valt.

2. Wat een lawaai!

De volgende dag wordt meneer Luis wakker.
Maar niet door de wekker. Het is een heel ander
geluid. Het lijkt wel op een groot monster.
Meneer Luis gaat rechtop zitten en luistert.
'Wat ... wat is dat lawaai?' roept hij boven alles
uit.

Meneer Luis wrijft in zijn ogen. Is hij nog aan
het dromen? Nee, hij is toch echt wakker.
'Grrrrr!'
Het klinkt heel hard. En wat enger is, het komt
dichterbij.
Meneer Luis kruipt uit bed. Hij leunt uit zijn
haarhut en kijkt naar buiten.
Er is niets te zien.
Gek. Gisteren was meneer Luis nog bang voor
de stilte. Nu is hij bang omdat er zoveel lawaai
is. Maar wat is het? Meneer Luis kijkt nog een
keer. En dan ziet hij het ...
'O nee!' roept hij.
Nu ziet hij pas wat hij eigenlijk niet wil zien.

In de verte ziet hij geen bos meer. Al het haar
is weg! Weggemaaid. En de maaier komt steeds
dichterbij!
'Ik moet hier weg!' kreunt meneer Luis.
En hij heeft gelijk.
De sprietjes haar vallen een voor een neer. Ze
worden opgeslokt.
'Mijn arme haarhut!' zucht meneer Luis.

Meneer Luis moet iets doen! Maar wat? Hij
kijkt rond en denkt diep na.
'Waarom gaat Hans nou naar de kapper?' vraagt
hij zich af.
'Dat is toch nergens voor nodig?'
Meneer Luis begrijpt er niets van.
Hij wil niet weg uit het haarbos van de jongen.
Hij woont er erg naar zijn zin. Zijn haarhut is
klein, maar wel gezellig.
Hij is in dit bos geboren. Hij heeft hier zijn
eerste sprongetjes gemaakt.
'Wat kan ik doen om dit te stoppen?' vraagt hij
zich hardop af.
'Er moet toch een manier bestaan om Hans te
vertellen dat ik hier nog woon!'
Vroeger liet meneer Luis de jongen af en toe
even merken dat hij in het haarbos woonde.

Dan trok hij zijn dansschoenen aan en ... danste hij er flink op los. Zo bezorgde hij Hans kriebels en jeuk. Veel kriebels en jeuk. Vervolgens wreef de jongen in zijn haar en stond de haarhut van meneer Luis een poosje te schudden. Dan wist de jongen tenminste weer dat meneer Luis er nog was.

Maar nu heeft flink trappelen geen zin. De haarhut staat al te schudden en dat komt niet doordat Hans door zijn haar wrijft. Nee, de hut trilt en schudt door het kabaal van de maaier!

Waarom heeft niemand mij gewaarschuwd, vraagt meneer Luis zich af. Waren ze hem dan zomaar vergeten terwijl hij naar zijn werk was gegaan?

Hij voelt zich eenzaam en verlaten.

Hij is natuurlijk wel laat op pad geweest. Hij wilde na zijn werk in elke bus van elke haarhut een briefje posten. Een protest tegen de zure regen die de luizen vorige keer over zich heen hadden gekregen.

Hans had toen nare shampoo gebruikt. Speciaal tegen luizen. Een overstroming was het geweest. Maar dit is zoveel erger!

Meneer Luis kijkt nog eens door het raam en ziet dat de maaier nu wel erg dichtbij is gekomen. Als de vin van een haai nadert hij zijn prooi ...

Snel opent meneer Luis de deur naar het terras.
Het geluid is werkelijk oorverdovend.
'Er zit niets anders op,' zegt hij.
'Ik zal dapper moeten zijn.'
Meneer Luis trekt snel zijn schoentjes aan.
Dit moet werken! denkt hij.
Hij staat op het terras van de haarhut en buigt door de knieën. Het is al lang geleden dat meneer Luis zo'n verre sprong heeft gemaakt. Maar er zit niets anders op.
'Geen haar op mijn hoofd die eraan denkt hier te blijven zitten! Ik moet het proberen!' roept hij.

3. **Hulp!**

Meneer Luis staat op springen. Hij test zijn
schoenen en veert langzaam op en neer. Dan
begint hij af te tellen.
'Drie, twee, één!'
Hij springt van het terras omhoog en probeert
zo boven de uiteinden van de haartjes uit te
komen. Tijdens zijn vlucht ziet hij plots het ge-
zicht van Hans. De jongen zit voor een spiegel.
'Hela!' roept meneer Luis.
Maar voor hij het weet, valt hij alweer naar
beneden. Hij kan natuurlijk niet vliegen als een
vogel.
Ik moet hem een teken geven, denkt meneer
Luis.
Hij zet aan en springt een tweede keer de lucht
in. Deze keer gaat hij nog hoger dan de eerste
keer.
'Joehoe! Hans! Hier zit ik!' krijst hij.
Meneer Luis probeert een moment lang op één
plek te blijven hangen. Hij wuift naar de jongen
in de kappersstoel. De jongen leest een strip-

boek en kijkt niet eens in de spiegel. Het lukt
meneer Luis opnieuw niet om Hans een teken
te geven. Hij valt weer naar beneden. Boem! Hij
staat nog maar nauwelijks of hij is alweer weg-
gesprongen. Hij lijkt wel op een springveer.
'Hé, Hans! Ik woon hier nog op je hoofd!
Wacht nog even!'

Maar het heeft geen zin. De jongen hoort meneer Luis niet.
'Hé! Je hoeft je haar niet af te scheren!' roept
meneer Luis nog.
'Je ziet er mooi uit met lang haar! Wie wil er nu
kort haar? Meisjes zijn gek op jongens met lang
haar.'
Maar het helpt niet.
Meneer Luis landt weer op zijn pootjes. Hij
krabbelt snel overeind.
'Er valt niets meer aan te doen,' zegt hij.
Hij veegt zijn broekje schoon en gaat de haarhut weer binnen. Het lawaai van de maaier is
bijna niet te verdragen. Meneer Luis stopt zijn
vingers in zijn oren.
Er zit echt niets anders op.
Ik zal moeten verhuizen, denkt meneer Luis.

Plotseling begint de hele haarhut te barsten.
'O nee!' roept meneer Luis uit.
Hij moet zich vasthouden aan de tafel. De
grond beeft onder zijn pootjes. Het is een echte
aardbeving. Of liever: hoofdbeving.
'Ik moet me haasten!' praat meneer Luis zichzelf
moed in.
'Straks krijgt de maaier mij nog te pakken …'

4. Luis zoekt huis

Ik moet springen! denkt meneer Luis. Nu niet
omhoog … maar omlaag!
Straks is de haarhut weg. Er zal geen haartje
meer overeind staan.
'Geen tijd meer te verliezen!' zegt meneer Luis
tegen zichzelf.
Hij pakt zijn koffer van de kast. Snel werpt hij
zijn kleren erin.
'Ik mag niets vergeten!' zegt hij.
Meneer Luis steekt nog één keer zijn hoofdje
naar buiten.
'Oei!'
De maaier staat pal voor de haarhut. Schiet op,
meneer Luis!
Maar voor hij vertrekt, moet hij nog één ding
doen.
Snel gaat meneer Luis voor zijn eigen, kleine
spiegeltje staan. Een luis kan toch niet zomaar
de deur uitgaan? Zonder zijn eigen haar te kam-
men?
Ik moet er goed uitzien, denkt meneer Luis.

Hij maakt zijn haar nat. En gaat er met een kam door.

'Ziezo, klaar is luis!'

Net op tijd, want de maaier breekt al een deel van de haarhut af.

Meneer Luis pakt zijn wandelstokje vast. Zonder wandelstok gaat hij namelijk nooit de deur uit. Nu moet hij met dat stokje springen. Een beetje zoals polsstokspringen.

'Ik had niet gedacht dat het zo hoog was,' zegt meneer Luis als hij naar beneden kijkt.

De maaier breekt nu ook het dak af. Nog drie tellen en de hele hut valt in duigen.

'Ik heb toch geen hoogtevrees, zeker?' vraagt meneer Luis zich af.

'Hoe gek zou dat zijn? Een luis met hoogtevrees!'

Meneer Luis zet het wandelstokje nauwkeurig neer en zet af. Hij kruipt helemaal naar boven, naar het bovenste puntje van de stok. En even, heel even, blijft hij stokstijf zitten.

'Help! Ik durf niet!'

Maar de laatste grom van het haarmonster doet meneer Luis springen. Hij knijpt zijn ogen hard dicht en ... springt.

Meneer Luis durft niet te kijken. Het enige wat

hij voelt, is de wind in zijn eigen haar. Hij vliegt
door de lucht. Het lijkt wel een eeuwigheid te
duren. Hij houdt de koffer voor zijn lijf. Als een
harnas. Dan komt hij neer op de grond.
'Oef!'
Hij blijft even zitten.
'Dat scheelde maar een haartje.'

Maar waar is hij ergens? Meneer Luis staat op
en kijkt rond. Voor het eerst in zijn leven is hij
buiten het haarbos. Nu moet hij de wijde we-
reld in.
De grond onder zijn pootjes voelt koud aan.
Hij staat op de stenen vloer bij de kapper.
Overal liggen plukken haar. Het lijken wel
hooibergen in een weide.
Meneer Luis verzamelt alle moed die hij heeft
en zegt:
'Op zoek naar een nieuw huis!'

5. Feest!

'Joepie!'

Meneer Luis verstopt zich snel achter een pluk
haar. In de verte hoort hij iets anders dan de
haarmaaier. Het is een veel prettiger geluid. Het
klinkt niet als een monster. Het klinkt alsof er
ergens feest is. Daar heeft meneer Luis wel zin
in.

'Maar hoe kom ik daar?' vraagt hij zich af.

Hij kijkt rond.

'Wat is dat daar?'

Voor zich ziet hij een witte weide. Die moet hij
oversteken om bij de feestelijke geluiden te komen. Dit is helemaal nieuw voor meneer Luis.
Hij heeft nog nooit iets anders gezien dan het
haarbos. Zou dit de woestijn zijn?

Meneer Luis kruipt achter de haarpluk vandaan
en springt zachtjes naar de witte plek.

'Het lijkt wel sneeuw,' hijgt hij.

Hij haast zich. De koffer in zijn hand wiebelt
heen en weer.

'Het is misschien de noordpool wel.'
Met een kleine sprong belandt hij op de witte
plek. Het is er nat.
Meneer Luis houdt niet van natte dingen. Daar
word je zo nat van. En het is zeker niet feeste-
lijk!
'Hier wil ik niet blijven,' zegt hij.
Hij kijkt om zich heen, op zoek naar een uit-
weg.
Ineens weet hij waar hij is.
'Natuurlijk! Ik sta op een handdoek!'
De kapper heeft die gebruikt om het haar van
Hans af te drogen.

Dan hoort meneer Luis dat gezellige kabaal
weer.
Het lijken wel … zijn vrienden en zijn buren!
De andere luizen!
'Joehoe! Meneer Luis! Kijk eens hier!'
Ja, dat moeten de jonge luizen zijn. De speelse
rakkers die altijd voor de deur van zijn haarhut
salto's maakten. Waar zitten ze ergens? Meneer
Luis ziet ze niet.
'Joehoe! We zitten hierboven!'
Meneer Luis kijkt omhoog. Hij schrikt. Snel
duikt hij weg achter een pluk haar.

'Wat doen jullie daar?' roept hij.
'Het is daar gevaarlijk!'
Boven hem staat een hond! Een grote hond met
lange haren. Zijn poot staat op de witte handdoek. Meneer Luis vindt het maar eng.

'Kom naar boven, meneer Luis!'
De jonge luizen lachen. Ze klinken heel blij.
Meneer Luis ziet ze springen. Van de ene lange
haar naar de andere. Ze hebben het erg naar
hun zin. In de vacht van de hond is het warm.
'Wat doen jullie daar?' wil meneer Luis weten.
'We vieren een feestje!' roepen ze.
De luizen dansen en roepen. Ze hebben een
nieuw huis gevonden!
Maar meneer Luis nog niet.
'Je kan er ook nog bij hoor, meneer Luis!'
Lief bedoeld, maar meneer Luis wil niet verhui-
zen naar de vacht van de hond.
Hij is trouwens te moe om zo hoog te springen.
'Laat maar,' roept hij.
Hij zwaait naar de rest van de luizen.
'Ik red me wel!'

Maar even later ziet hij de luizen allemaal een
voor een uit de lucht vallen. Hij moet ze ont-

wijken. Ze worden naar beneden gedropt alsof
ze met een parachute naar beneden springen.
'Wat is er aan de hand?' vraagt meneer Luis aan
de eerste luis die op de grond is geland.
'We moesten dringend weg uit de vacht,' hijgt
hij.
'Waarom? Het was toch feest?'
'Het feest is voorbij,' antwoordt de luis. 'We
mochten niet blijven. De hond is het huis van
de vlooien. Dat wisten we niet. De vlooien
waren naar de kermis. Toen ze terugkwamen,
waren ze razend dat wij hun hond hadden inge-
nomen.'
'O.'
'De vlooien hebben ons naar buiten gepest.'
De luizen rennen nu om het hardst. Op zoek
naar beschutting.

Meneer Luis neemt zijn koffer in de hand.
'Zie je wel,' zegt hij hardop, 'ik wist wel dat die
hond gevaarlijk was.'
Hij loopt verder. Op zoek naar een nieuw huis.
Plotseling staat hij stil en roept uit: 'Dat is het!
Daar moet ik zijn!'

6. Verdwaald?

Meneer Luis heeft iets gezien.
Een huis? Een haarbos?
'Is dit een droom?' lacht hij.
Meneer Luis kan het niet geloven.
Ja, het lijkt wel op een bos haar! Maar het is
geen hondenvacht. En ook geen handdoek.
Meneer Luis sluipt dichterbij.

'Hoe zou ik daarbij kunnen komen?' vraagt hij
zich af.
Opeens ziet hij boven in het haar iets bewegen.
'Wat is dat?'
Er is iets wat heen en weer springt. Is daar ook
een feestje aan de gang?
Meneer Luis zucht. Hij heeft geen zin om te
feesten. Hij moet eerst een huis vinden.
'Maar wie is dat dan?'
Meneer Luis springt omhoog. Hij wil weten wie
daar aan het dansen is.
'Hé, maar…'
Daar is helemaal niemand aan het dansen!

Meneer Luis ziet een haar en daarop wankelt
een figuurtje. Als een koorddanseres probeert ze
haar evenwicht te houden.
'Hé, pas op!' roept Meneer Luis.
Maar het wezentje op het smalle koord hoort
hem niet. Of ze wil hem niet horen. Misschien
moet ze zich blijven concentreren. Want het is
een smal haartje en het is hoog boven de grond.
Dan bereikt het figuurtje de overkant en ver-
dwijnt in … een bos haar.
'Wacht!' roept Meneer Luis.
Daar moet ik meer over te weten komen, denkt
hij.
Hij kruipt langs de tafel naar boven. Meneer
Luis is oud, maar hij moet volhouden. Hij kan
toch moeilijk vannacht op de vloer bij de kap-
per slapen? Dat is veel te gevaarlijk!
Hijgend blijft hij staan.
'Ooooo!'
De mond van meneer Luis valt open …

7. Mevrouw Luis

In dit haarbos woont al een ander luisje. Zo te
zien een echte dame. En ze is vast ongeveer even
oud als meneer Luis. Dat was het figuurtje dat
daarnet op het haartje balanceerde.
Wauw! Zij ziet er lief uit! denkt meneer Luis.
En wat heeft ze een mooi haarhutje!
Hij springt dichterbij en kijkt door het raam.
Ze zal toch niet merken dat ik hier sta te gluren,
hoopt meneer Luis.
'Wat kan ze mooi dansen!'
Meneer Luis kijkt een poosje. Zij danst heel
langzaam. Helemaal niet zoals die jonge luizen.
Ze ziet er heel mooi uit.
'Maar waarom beweegt het hoofd van de jongen
niet dat onder het haarbos zit?'
Meneer Luis begrijpt het niet.
Vroeger, als hij op het hoofd van Hans danste,
begon de hut toch te wiebelen? Het huisje
schudde heen en weer, omdat de jongen jeuk
kreeg.
Maar nu gebeurt er niets?

Dat luisje staat daar maar te trappelen. Maar het jeukt of kriebelt helemaal niet.
Dat is vreemd.

'Hé, mevrouwtje!' roept meneer Luis.
Hij zwaait naar haar. Maar ze ziet hem niet.
'Ik sta hier! Buiten!'
Plots stopt het luisje met dansen. Ze kijkt naar buiten.
'Wat is er? Wie ben jij?'
Meneer Luis wordt heel verlegen. Hij houdt zijn koffer op.
'Ik ben meneer Luis en ik zoek een nieuw huis,' zegt hij.
'Ja, en?'
'Is er soms bij jou nog plaats? Mevrouw …?'
Het luisje lacht.
'Noem me maar mevrouw Luis,' zegt ze.
Mevrouw Luis fronst en denkt diep na.
'Ik dans graag,' zegt ze en maakt een kleine, sierlijke buiging.
'Ik hoop dat je tegen een stootje kan.'
'Dat komt goed uit,' zegt meneer Luis.
'Ik ben gek op dansen.'
'Kom dan maar binnen!'

Meneer Luis loopt een beetje aarzelend naar
binnen.

Het is er heel gezellig. Er is in ieder geval meer
dan genoeg plaats om te dansen.

Maar er is iets wat meneer Luis niet begrijpt.
Waarom mag mevrouw Luis zomaar dansen?

Dit is toch een haarhoofd? Meer nog: het lijkt
zelfs op het hoofd van Hans. Het lijkt geen haar
veranderd.

'O,' zegt mevrouw Luis.

'Heb je het dan nog niet gezien?'

8. Een luizenleven!

'Wat gezien?' vraagt meneer Luis verbaasd.
Dat wil hij toch wel graag weten.
Hij kijkt de haarhut rond. Wat is er zo speciaal
aan deze haarhut?
'Mag je hier alles doen wat je wilt?' vraagt hij.
Mevrouw Luis begint weer te dansen. Ze trap-
pelt met haar pootjes op de grond. Dan begint
ze ook te zingen. Ze zingt heel zacht. Meneer
Luis vindt haar steeds liever.
'Ik mag hier alles,' zegt ze.
Dat ziet er goed uit. Hier wil meneer Luis best
komen wonen. Hij doet ook graag zijn eigen
zin.
'Hier komt dus geen maaier alles plat gooien?'
Mevrouw Luis schudt het hoofd. Ze lacht.
'Nooit.'

Meneer Luis begrijpt het niet.
'Maar waarom niet? Alle haren groeien toch?'
Mevrouw Luis opent het raampje van haar haar-
hut. Ze pakt meneer Luis bij de arm. Ze gaat

met hem het terras op en wijst naar beneden.
Naar het voorhoofd dat onder het haar zit.
'Zie je het?'
Meneer Luis ziet het. Hij begint te lachen. Me-
vrouw Luis doet mee. Ze schaterlachen allebei
tot ze huilen.
Meneer Luis is verhuisd naar ... een pruik!
'Natuurlijk zal hier nooit een maaier komen,'
herhaalt hij.
Een pruik groeit niet op een écht hoofd. De
pruik staat op een pop. En een pop kan je na-
tuurlijk wel kietelen, maar een pop heeft nooit
jeuk.
'Ik wil hier graag wonen,' besluit meneer Luis.
Ze sluiten het raam.
En dan beginnen ze samen zachtjes te
dansen ...

In deze serie zijn verschenen:

De geit is los!
Spring, meneer Luis!
De piano-oppas
Breek je nek voorzichtig
Een nijlpaard voor de juf
Een huis vol Herrie
Big Baps

Chris Winsemius

Breek je nek voorzichtig

Zwijsen

op weg

Anke Kranendonk

Een nijlpaard voor de juf

Zwijsen

plus

Marcel van Driel

Een huis vol Herrie

Zwijsen

extra

Els Rooijers

Big Baps

Zwijsen

extra